新潟県 けんさ焼き

北海道 スープカレー

福井県 さばサンド

福島県 クリームボックス

広島県 かきのみそ汁

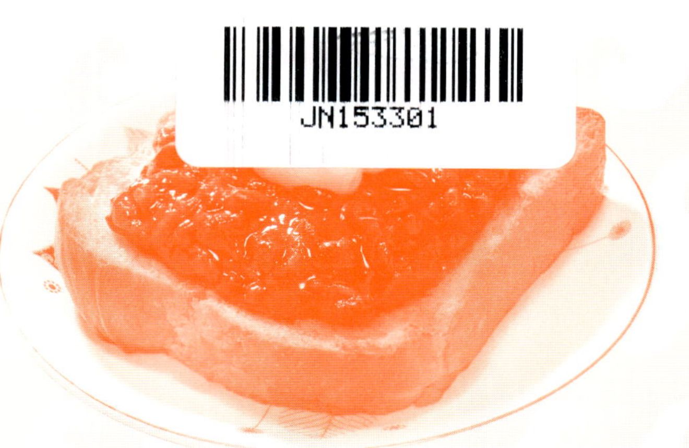

愛知県 小倉トースト

どっちの料理対決!
ニッポンの
ご当地ごはん
えらぼう!
つくろう!
監修／吉田瑞子
1
朝ごはんと
スイーツ
日本図書センター

監修者のことば

ご当地ごはんには、びっくりする形状や調理方法、珍しい素材の組み合わせ方など、面白いものがたくさんあります。そのひとつひとつをよく調べてみると、歴史的に興味深い由来や人々の熱い思い入れがわかってきて、ますます楽しみは広がります。ふだんから料理にかかわっている私自身も、その奥深さや自由な発想とアイディアがとても勉強になり、ご当地ごはんのパワーにすっかり魅せられてしまいました。でもそう簡単に現地まで食べには行かれませんから、おうちでつくれたらいいなと思い、この本ができました。これをきっかけに、楽しい料理の世界に興味をもってもらえたらうれしいです。

吉田瑞子

〈この本の決まり〉

- この本で紹介しているご当地ごはんは、はじめてでもつくりやすいようにつくり方の手順を簡単にしたり、材料を手に入りやすいものに変えたりしています。地名や地域名、料理の由来は各都道府県の公式ホームページなどを参考にして一般的と思われるものを採用しています。
- 1カップは200mL、大さじ1は15mL、小さじ1は5mL、1合は180mLです。
- 電子レンジは500Wを使用しています。加熱時間は目安なので様子をみながら調節してください。
- 火加減は、特に表記がない場合は中火です。
- だし汁は市販の顆粒だしを水にとかしてつくる場合を想定しています。分量は、パッケージの表示を参考にしてください。

この本の見方

この本は、全国のご当地ごはんをテーマごとに対決形式で紹介しています。レシピを見ながらつくってみましょう。

★調理時間

料理の完成までにかかる目安の時間です。

★料理のキホン

身につけておきたい基本の技術や知識を、写真つきで紹介します。

★つくり方

料理のポイントになるところは写真つきで解説します。

★料理が生まれた地域

料理の発祥の場所や広まっている地域を、地図と地名で紹介します。

★どんな料理？

料理の生まれた背景や、発祥とされるお店のエピソードを紹介します。

★調理のポイント

おいしく、上手につくるコツを紹介します。

もくじ

ご当地ごはんを楽しんでみんなに教えよう！

テレビ番組の食レポートで、おいしそうに料理をほおばる姿がすてきな水卜麻美さん。食べることも旅行も大好きな、水卜さん流の楽しみ方を紹介します。

Q. これまでに食べたご当地ごはんで、印象に残っているものはありますか。

A いろいろありますが、実際に現地で食べて感激したのは、奄美大島で食べた鶏飯です。蒸した鶏肉、卵やしいたけ、パパイヤなどの具材をのせたごはんに、地鶏のスープをかけて熱々をいただくのですが、あっさりしているのに鶏のうまみが感じられて……。「ヒルナンデス！」のロケで初めて食べて、あんまりおいしかったので収録が終わったあとに、もう一軒お店を探して食べに行きました。5年経った今でも、出演者同士で「あのときの鶏飯、本当においしかったよね～」って話題にのぼります。やっぱり、実際に“ご当地”に出向いて食べた味は、その場所の思い出とともにいつまでも心に残りますね。

鶏飯はこの巻の12ページで紹介しています。

Q. これまでに食べたご当地ごはんで、実際につくってみた料理はありますか？

A もちろん、あります。ゴーヤーに豆腐や卵などを加えていためる沖縄県のご当地ごはん、ゴーヤーチャンプルーは何十回もつくっています。水きりした豆腐でもつくれますが、アンテナショップなどで手に入る沖縄の島豆腐でつくると、より現地の味に近づいておいしくなるんですよ。

Q. このシリーズで千葉県の郷土料理太巻き祭り寿司を紹介していますが、食べたことはありますか？

A 太巻き祭り寿司は、私の地元、千葉県の市川市でもお祭りやイベントのときに出る特別メニューでした。細い巻き寿司のパーツを何本もつくって、一本の太い巻き寿司になるように組み合わせて巻いていくので、つくるのはとても大変だと思いますが、お寿司の断面がお花の模様になるなど、かわいくて見た目もとても豪華。太巻き祭り寿司が出ると“特別な日”という感じがして、うれしくなりましたね。また、大人になり全国にさまざまなご当地ごはんがあることを知り、子どものころ当たり前に食べていた太巻き祭り寿司が、じつは私の郷土の味だったのだと改めて認識しました。郷土料理を受け継ぐのは、ほかの誰でもない“私たち”なんだなと改めて思います。

太巻き祭り寿司は３巻で紹介しています。

日本テレビアナウンサー
水卜麻美さん

1987年4月生まれ。千葉県市川市出身。慶應義塾大学文学部（英米文学専攻）を卒業後、2010年に日本テレビに入社。2016年現在、出演番組は「ヒルナンデス！」、「幸せ！ボンビーガール」、「有吉ゼミ」など多数。趣味は読書、おいしい食べものを探すこと、ビートルズを聴くこと。座右の銘は「明日は明日の風が吹く」。

Q. ご当地ごはんの一番の魅力は？

A スタジオで北海道物産展のうにやいくらなど、海の幸を食べる機会がよくあるのですが、実際に北海道の漁港で食べたときは、スタジオで食べたときより何十倍もおいしく感じました。新鮮なのはもちろんですが、方言を交えて話す漁師さんや市場の方とのやりとりもとても楽しかったのを覚えています。波の音や潮の香りなどもふくめ、その土地の雰囲気にひたりながら食べられることが、一番の魅力かと思います。

Q. 最後に、この本の読者へメッセージをお願いします。

A 私は食べることと旅が大好き。出かける前には必ずその土地の出身者に地元のおいしいものを聞くようにしています。すると、みんな自分のふるさとの食べ物について、目をキラキラさせながら教えてくれるんです。実際に行ってみると、おいしいものを味わえるだけでなく、ご当地ならではの魅力を広く知ってもらいたい、という地元の方の工夫や愛情も伝わってきます。また、どうしてその料理が生まれたのか、ストーリーを知るのも楽しいです。さらに、まわりの人にもその魅力やおいしさを教えてあげると、きっと喜んでもらえますよ！

甘～い幸せ♥

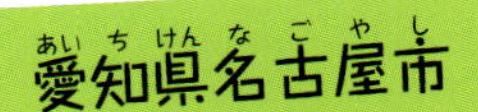

完成まで 5分

小倉トースト

たっぷりのあんと
生クリームのコラボレーション！
パンにのせるだけで、
とっても簡単にできちゃうよ。

どんな料理？ 小倉トースト

愛知県名古屋市のきっさ店ならではのメニューが、小倉トースト。大正時代の1921年ごろ、トーストにぜんざいのあんをつけて食べる学生たちを見て、お店の人が考えつきました。バターが染みこんだサクサクのパンに甘いあんがマッチ。

小倉トーストのつくり方

材料（2枚分）

食パン（4枚切り）………… 2枚
バター………………………… 大さじ2
つぶあん（市販品）………… 適量
ホイップクリーム（市販品）
…………………………………… 大さじ3

1 食パンを焼く

食パンをオーブントースターで両面焼き、バターをぬる。

厚切りの食パンを使って、
ボリュームアップ！
こんがり香ばしく焼こう。

2 つぶあんをぬる

1につぶあんをぬる。

3 ホイップクリームをのせる

2の上にホイップクリームをのせる。

スイーツ風トースト対決

福島県郡山市

クリームボックス

甘〜いクリームを
食パンにぬったら、
夢のようなパンのできあがり！
おいしくって、
食べすぎに注意！

〜クリームたっぷり〜

完成まで 15分

どんな料理？ **クリームボックス**

小さめの食パンに、練乳みたいに甘くてミルキーなクリームをのせたのがクリームボックス。福島県郡山市で1976年に誕生してから、パン店を中心に広まり、今ではスーパーや学校の売店にもならぶなど、地元の味として愛されています。

クリームボックスのつくり方

材料（4枚分）

Ⓐ牛乳……………120mL
　生クリーム……50mL
　コンデンスミルク
　……………………大さじ1（40ｇ）
　砂糖………………大さじ3
コーンスターチ…大さじ2
バター……………10ｇ
食パン（小型）……4枚

小さい食パンがないときは
普通の大きさの食パンで
クリームの量を調整してつくろう。

1 クリームをまぜる

耐熱ボウルにⒶを入れてよくまぜる。コーンスターチをふり入れ、だまがなくなるまでまぜ、バターを加えてラップをする。

2 クリームを加熱する

1を電子レンジで1分加熱してよくまぜる。同様に、1分加熱してまぜるのを2回くり返す。

3 クリームをぬる

食パンに2をたっぷりぬる。

これで完成！

王者はどっち!?

愛知県名古屋市

えびフライサンド

えびフライを食パンにはさんだ、
豪華なサンドイッチ！
えびはプリプリ、卵はふっくら
いろんな食感が楽しいよ！

名古屋
豊田
岡崎
豊橋

どんな料理？ えびフライサンド

名古屋のご当地ごはんの代表格のひとつが、大きなえびフライ。名古屋市内各地にお店をもつ、きっさ店「コンパル」では、ソースをぬった卵焼きとタルタルソースをかけた３本のえびフライ、ドレッシングキャベツを、トーストしたパンではさんだ、えびフライサンドが名物メニューになっています。

P10へ

シーフードサンド

福井県小浜市

さばサンド

魚のさばが
サンドイッチの具に!?
さばを香ばしく焼くと、
パンとの相性もバッチリ！

どんな料理？ さばサンド

福井県の若狭湾でとれるさばは、昔から「若狭のさば」として有名です。若狭湾の海の幸を京都へと運んだ道は、さば街道ともよばれ、浜焼きさばや焼きさば寿司といった名物料理も生まれています。そのさばを焼き、たっぷりの野菜といっしょにフランスパンではさんだのが、ボリューム満点のさばサンドです。

P11へ

えびフライサンドのつくり方

材料（2人分）

えびフライ（市販品）……………… 6尾
卵……………… 2個
塩、こしょう… 各少々
サラダ油……… 少々
キャベツ……… 3枚
コールスロードレッシング（市販品）…… 大さじ2
食パン（6枚切り）……………… 4枚
マスタード…… 小さじ1/2
タルタルソース（市販品）……………… 大さじ1
トンカツソース… 適量

1 えびフライの下ごしらえをする

えびフライの尾を切り落とす。

2 うす焼き卵を焼く

卵はときほぐし、塩、こしょうをふる。サラダ油を熱した卵焼き器に流し、四角い厚めのうす焼き卵を2枚焼く。

3 コールスローをつくる

キャベツはせん切りにし、コールスロードレッシングで和える。

4 パンを焼き、マスタードをぬる

食パンはオーブントースターで焼き、片面にマスタードをうすくぬる。

5 パンに具をはさんで切る

4のパン1枚に3をのせ、1を3本ならべてタルタルソースを均等にかける。その上に2をのせて、トンカツソースをうすくぬり、もう1枚のパンを重ねる。ラップで包んで少しおき、落ち着かせたら、パンの耳を切り落とし、えびフライの切り口が見えるように3等分に切る。

具をはさんだパンを切るときは、包丁を引いて、押してをくり返して。形がくずれにくく、上手に切れるよ。

さばサンドのつくり方

材料（2人分）

塩さば（小半身）… 2枚
オリーブ油……… 小さじ2
リーフレタス…… 2枚
トマト…………… 1個
黄パプリカ……… 少々
わけぎ…………… 1本
バゲット（小）…… 1本
Ⓐバター（室温にもどす）
……………… 大さじ1
粒マスタード
……………… 小さじ1
トマトソース（市販品）
……………… 大さじ2
レモン………… 1/4個

1 塩さばの下ごしらえをする

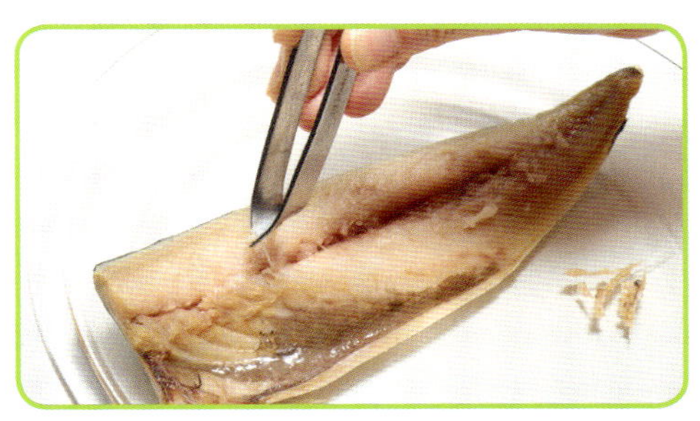

塩さばは骨をていねいに取りのぞき、半分に切る。

骨ぬきがあれば、使ってみよう！
なければピンセットなどでもＯＫ。

2 塩さばを焼く

フライパンにオリーブ油を熱し、1の皮の面を下にしてならべ入れる。ほどよい焦げ目がついたらひっくり返し、裏側も焼く。

3 野菜の下ごしらえをする

リーフレタスは手でちぎり、トマトは5㎜厚さに切る。黄パプリカはせん切り、わけぎははしから同じ幅で切って小口切りにする。

4 バゲットを温める

バゲットは長さを半分に切り、横に切りこみを入れ、オーブントースターで温める。

パンがこげないように、ときどき様子を見ながら温めて。

5 具をはさむ

4の切り口にⒶをバター、粒マスタードの順にぬり、3のリーフレタス、トマト、2の塩さばの順に重ねてトマトソースをかける。その上から黄パプリカとわけぎをのせてはさむ。皿にもり、くし形に切ったレモンをそえる。

さらさら対決！

鹿児島県奄美群島

鶏飯

鶏肉のスープをかけて、
さらっと食べる汁かけごはん。
具はお好みで変えてもOK！

どんな料理？ 鶏飯

奄美群島に400年ほど前から伝わる郷土料理で、奄美大島を中心に親しまれています。もともとは鶏を丸ごと使う、おもてなしのためのごちそう料理。1946年ごろに、ごはんに鶏肉や錦糸卵、しいたけなどをのせ、鶏のスープをかけて食べる今の形になりました。鹿児島県本土でも給食のメニューとして大人気です。

P14へ

温・冷 汁かけごはん

ほんのりと香ばしい
おみその香りが食欲をそそる！
暑い夏にもモリモリ
食べられるごはんだよ。

だしがきいてる！

宮崎県全域

冷や汁

完成まで 40分

どんな料理？ 冷や汁

温かいごはんに、魚のほぐし身や夏野菜の入った冷たい汁をかけて食べる、宮崎県の郷土料理です。冷や汁のはじまりは古く、鎌倉時代との説もあります。「武士はごはんに汁をかけるが、僧侶は冷や汁をかける」といわれ、全国に広まりました。長く宮崎県で愛され、食べ継がれてきた夏の料理です。

延岡
えびの
宮崎
日南

P16へ

鶏飯のつくり方

材料（2人分）

鶏むね肉………1/4枚
Ⓐ水……………3カップ
　しょうがうす切り
　……………3枚
　ねぎの青い部分
　……………1本分
酒……………大さじ2
鶏がらスープの素
　………………大さじ1
卵………………1/2個
塩、こしょう…各少々
サラダ油………少々
万能ねぎ………3本
たくあん………30g
みかんの皮……少々
うす口しょうゆ、塩
　………………各少々
温かいごはん…丼2杯
しいたけ甘煮（市販品）
　………………30g
白ごま、紅しょうが、
　きざみのり…各少々

1 スープをつくる

なべに鶏むね肉、Ⓐを入れて火にかける。

2

1がふっとうしたらアクを取りのぞいて弱火にし、鶏がらスープの素を加えて5分煮る。火からおろしてそのまま冷ます。

3 うす焼き卵のせん切りをつくる

卵をときほぐし、塩、こしょうをふる。サラダ油を熱したフライパンに入れてうす焼き卵1枚をつくり、せん切りにする。

うす焼き卵は
クルクルと
きつめに巻き、
2～3㎜幅を目安に
はしから細く切ろう。

4 材料を切る

万能ねぎは小口切りに、たくあんは5㎜角に切る。

5

みかんの皮はよく洗って水気をふき、斜めにうすくそぎ切りしてからみじん切りにする。

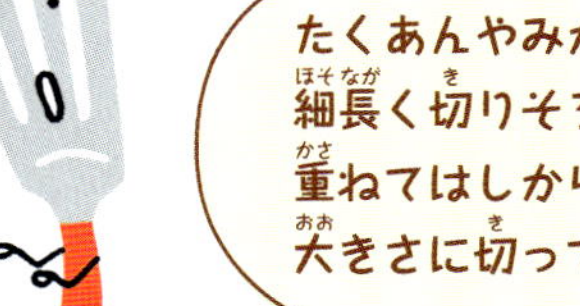

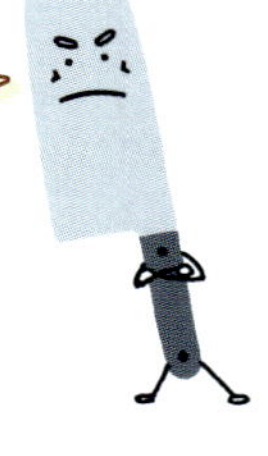

6 スープをこす

ざるをボウルの上に重ねて、2のスープを流し入れてこし、鶏肉とスープに分ける。

スープはあとで
使うので、すてずに
取っておこう！

7 鶏肉をさく

鶏肉の皮はせん切りにし、身は肉の繊維にそって手で細くさく。

8 スープの味を調える

6のスープにうす口しょうゆ、塩を加えて味を調える。

9 もりつける

器にごはんをもりつけ、3～5、7、しいたけ甘煮、白ごま、紅しょうが、きざみのりをいろどりよくのせる。

8で味を調えた
鶏ベースのスープを
注いで、具をごはんと
よくまぜて食べよう！

料理のキホン

お米のとぎ方をマスターしよう

おいしいごはんを炊くためのお米のとぎ方を紹介！

①炊飯器の内がまに分量の米を入れ、最初は少なめの水にひたして手で手早くしっかりとぎ、ぬかを落とします。

②最初の水をすてたあと、新しい水をたっぷり入れて、手の平を押しつけるように洗います。

③水がすき通るまで3～4回くり返しましょう。

おいしく炊くには、
白くにごった水(ぬか)を
米に吸わせないように
するのがポイント。
手早くときましょう。

冷や汁のつくり方

材料（2人分）

あじの干物…1枚
だし汁………3カップ
白ごま………大さじ2
麦みそ………大さじ3
もめん豆腐……………1/3丁(100g)
きゅうり……1本
みょうが……2個
青じそ………6枚
白ごま………小さじ1
麦ごはん……茶わん2杯

麦ごはんは、米1合を炊飯器に入れてめもりまで水を入れ、押麦25gと水50mLを入れて白いごはんと同じように炊こう。

1 あじを焼き、身をほぐす

あじの干物をグリルか焼き網で焼き、あら熱が取れたら、頭、骨、皮をのぞいてほぐす。

骨などはていねいに取りのぞいておくとよりいっそうおいしく仕上がるよ。

2 だし汁を冷やす

だし汁は、ボウルに入れてあらかじめ冷蔵庫で冷やしておく。

3 ごまをする

すり鉢に白ごま大さじ2を入れてすりこぎでする。

すり鉢の下にぬれぶきんをしくと、すり鉢が安定してすりやすいよ。

4 すったごまに、あじとみそを入れる

3に麦みそ、1のあじを加えてすり、まぜ合わせる。

麦みそは、麦こうじを使ったみそで、ちょっと甘めのみそだよ。

5 みそをのばす

バットにフライパン用アルミホイルをしき、4をゴムベラを使ってのばす。

6 みそを焼く

5をオーブントースターに入れ、こんがりと焼き色がつくまで焼く。

7 豆腐をちぎる

もめん豆腐は食べやすい大きさに手でちぎる。

8 具を切る

きゅうり、みょうがは輪切りにし、青じそはせん切りにする。

9 だし汁をつくる

6をボウルにうつし、2を少しずつ加えてとかすようにまぜる。

時間があれば、もう一度冷蔵庫で冷やすともっとおいしいよ！

10

9に8の具、7の豆腐、白ごま小さじ1を加えてまぜる。

11 もりつける

10を器に注ぎ、茶わんにもった麦ごはんをそえる。

これで完成！

料理のキホン

だしの取り方をマスターしよう

市販の顆粒だし以外にも、昆布とかつおぶしを使っただしの取り方を覚えておくと役に立つよ。材料のうま味を引き立てて本格的な味になるよ！

①なべに水500mL、昆布1枚（4×10cm）を入れ、そのまま15～30分ほどおいておこう。

②なべを弱火にかけ、ふつふつとするまで加熱。かつおぶしひとつかみを加えて、火を止めます。

③かつおぶしがしずんだらボウルにざるをのせて②をこせば、だし汁約2カップ分の完成！

急いでいるときは、小さく切った昆布とかつおぶしを同時に入れてすぐに火にかけてもOK。火は弱火にしましょうね。

どっちで起きる？

北海道札幌市

スープカレー

大きな具をたくさんのせた
スープカレー！
ごはんでもパンでも
おいしいよ！

完成まで 50分

どんな料理？ スープカレー

北海道札幌市に、さらさらしたスープを味わうカレーの店ができたのは、1970年代のことです。今では札幌の代表的な料理のひとつとなり、市内にたくさんの専門店があります。具の肉や魚介類、野菜はゴロゴロと大きめ、ごはんは別にもりつけて、スープにひたして食べます。具やスープの味は店によってさまざまです。

P20へ

目覚まし朝カレー

トマトを煮こんだカレーに、
トマトごはん、トマトのトッピングで
トマトづくし！　ジュワッととろける
トマトのフライが新食感！

完成まで 60分

埼玉県北本市

北本トマトカレー

情熱の赤だね！

どんな料理？ 北本トマトカレー

トマトの名産地として知られる埼玉県北本市で生まれた、トマトのおいしさを生かしたカレーです。ごはんをトマトで赤くし、ルーにトマトを入れ、トッピングにもトマトを使います。2011年にご当地グルメイベントのために考えだされ、そのイベントでグランプリを獲得して、大人気になりました。

P22へ

スープカレーのつくり方

材料（2人分）

玉ねぎ……………1個
しょうが、にんにく
………………各1かけ
なす………………1本
赤パプリカ………1/4個
れんこん…………4㎝
グリーンアスパラガス
………………2本
鶏手羽元…………4本
塩、こしょう……各少々
サラダ油…………大さじ1
バター……………大さじ1
カレー粉…………大さじ1
水…………………4カップ

Ⓐトマトジュース（無塩）
………………1/2カップ
洋風スープの素…2個
ローリエ…………1枚
赤唐辛子…………1本
サラダ油…………適量
カリフラワー……2房
ガラムマサラ
………………小さじ1
Ⓑ塩、こしょう
………………各少々
砂糖………………小さじ2
ウスターソース
………………小さじ2
しょうゆ…………小さじ1
温かいごはん……2皿分

1 野菜を切る

玉ねぎ、しょうが、にんにくはうす切りにする。なすは縦半分に切り、斜め格子の切りこみを入れてさらに斜め半分に切る。

2

赤パプリカは縦1/8を斜め半分に切り、れんこんは1㎝厚さの輪切りにする。グリーンアスパラガスはかたい根元を切り落として半分に切る。

3 鶏肉に下味をつける

鶏手羽元は塩、こしょうをまぶす。

4 鶏肉を焼く

深めのフライパンかなべにサラダ油大さじ1を熱して3をならべ入れ、こんがり焼きつける。

5

鶏肉を皿などに取り出す。

このあと野菜といっしょに煮こむので、火が完全に通っていなくても大丈夫。

6 材料をいためる

玉ねぎは少し
茶色っぽくなるまで
いためると、
甘みが出てカレーも
まろやかに仕上がるよ。

5のフライパンにバターを足し、うす切りにした玉ねぎとしょうが、にんにくを入れ、玉ねぎの色が茶色っぽく変わるまでいためる。

7 カレー粉をふり入れてさらにいためる

カレー粉をふり入れ、さらにさっといためる。

8 水を加えて煮こむ

7に分量の水を加える。

9

5で取り出しておいた鶏肉をもどし入れ、ふっとうしたらアクを取りのぞく。

10

Aを加えて30〜40分煮こむ。

11 野菜を揚げ焼きにする

別のフライパンにサラダ油を多めに熱し、なす、赤パプリカ、れんこんを加えて揚げ焼き（深さ１〜２㎝の油で焼くように揚げる）にする。

油がはねるので、野菜の水気を
しっかりきっておこう。

12 野菜をゆでる

カリフラワー、グリーンアスパラガスをゆでる。

13 煮こんだカレーの味を調える

10にガラムマサラを加え、Bを加えて味を調える。

14 もりつける

皿に13の鶏肉を取り出してもり、11、12の野菜もバランスよくもる。13のスープをかけて、別皿にもったごはんをそえる。

これで完成！

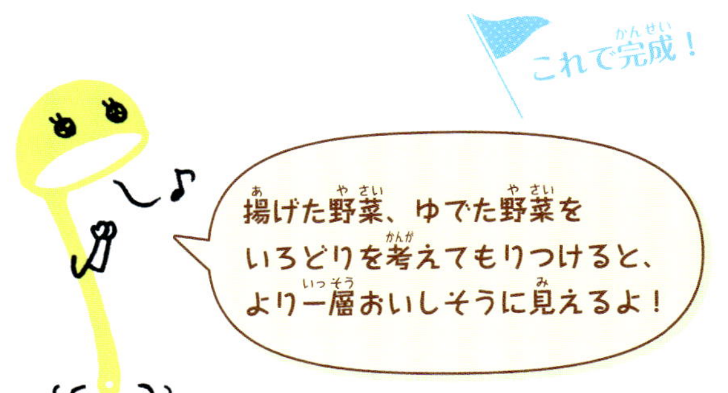

北本トマトカレーのつくり方

材料（2人分）

＜トマトごはん＞

- トマト……1個
- 米…………1と1/2合
- Ⓐトマトジュース（無塩）………1/3カップ
- 水………1カップ
- 塩、こしょう………各少々

＜カレー＞

- 玉ねぎ……1個
- しょうが、にんにく…………各1かけ
- にんじん…1/4本
- トマト……2個
- バター……大さじ1
- 豚ひき肉…120ｇ
- 水…………カレールーのパッケージに表示された量
- カレールー（市販品）……………小1/2箱（約70ｇ）
- ウスターソース……………大さじ2

＜トマトの肉巻きフライ＞

- 豚ロース（うす切り）……………2枚
- 塩、こしょう、小麦粉……………各少々
- トマト（ミディアムサイズ）……………1個（70g）
- Ⓑ小麦粉……大さじ1
- とき卵……1/4個分
- パン粉……1/2カップ
- サラダ油……適量
- サラダ（フリルレタス、きゅうりの輪切り、赤パプリカのせん切り）…………適量

1 トマトの種を取って切る

トマト1個はヘタをのぞき、横半分に切り、種の部分を取りのぞく。

2

1を1cm幅の輪切りにし、さらにはしから1cmの幅で細く切る。90度向きを変えてサイコロのようにはしから1cm幅に切る。

3 トマトごはんを炊く

米を洗って炊飯器に入れ、Ⓐを加えてへらでよくまぜる。

4

3の上に2をちらし、白米と同じように普通モードで炊く。

5 野菜を切る

玉ねぎ、しょうが、にんにく、にんじんはみじん切りにする。トマト2個はヘタをのぞき、乱切りにする。

みじん切りの切り方は27ページの「料理のキホン」を見てね！

6 野菜、肉をいためる

深めのフライパンかなべにバターをとかし、玉ねぎ、しょうが、にんにくを加えていため、しんなりしたら、豚ひき肉を加えてさらにいためる。

7

ひき肉がパラパラになったら、にんじんを加えてさっといため、トマトを加えてまぜる。

8 カレールーを加えて煮こむ

カレールーを入れる前に火を止めて、ルーをしっかりとかそう。

7に分量の水を加え、ふっとうしたらアクを取りのぞき、弱火にして約10分煮る。一度火を止め、カレールーを割り入れて木べらでまぜてとかし、再び弱火で10分煮こむ。ウスターソースを加えて味を調える。

9 トマトの肉巻きフライをつくる

肉に小麦粉をふっておくと接着剤の代わりになって、肉とトマトがはなれにくくなるよ。

うす切りの豚ロース肉は広げ、塩、こしょう、小麦粉をふる。ヘタを取ったミディアムサイズのトマトを巻く。

10

9にBの衣を小麦粉、とき卵、パン粉の順につける。

11

フライパンにサラダ油を多めに熱し、10を揚げ焼きにする。あら熱が取れたら半分に切る。

12 もりつける

皿にトマトごはんをもりつけ、上にカレーをかけ、サラダをそえて半分に切ったトマトの肉巻きフライをのせる。

これで完成！

サラダみたい！

沖縄県金武町

タコライス

完成まで 15分

お肉も野菜も入った、
ボリューム満点の朝ごはん。
ピリ辛のひき肉を、
ごはんとよくまぜて食べよう！

どんな料理？ タコライス

タコライスの大もとは、スパイシーなひき肉やチーズ、野菜などを、トルティーヤというトウモロコシの粉でつくった皮にはさんで食べる、メキシコ料理のタコスです。このタコスの具を、白いごはんにのせてアレンジしたのがタコライス。1984年に沖縄の金武町で誕生し、今では全国的に知られています。

P26へ

ワンプレート対決

ラーメンがサラダに変身!?
マヨネーズソースがからんで、
マカロニサラダのような味わいに。
野菜もたっぷりでヘルシー！

北海道札幌市

ラーメンサラダ

完成まで 30分

トッピングがゴージャス！

どんな料理？ ラーメンサラダ

「札幌ラーメン」「旭川ラーメン」など、ラーメンが有名な北海道で生まれた、新しいラーメンの食べ方です。ラーメンを、たっぷりの野菜といっしょに、ドレッシングで和えてサラダ風の味つけに。1985年に札幌のホテルのビアホールでメニューにのったのがはじまりで、今では一般の家庭でもつくられるようになりました。

P28へ

タコライスのつくり方

材料（2人分）

レタス	2枚
トマト	1/2個
玉ねぎ	1/4個
にんにく	1/2かけ
オリーブ油	小さじ2
合びき肉	100g
Ⓐトマトケチャップ	大さじ3
Ⓐ塩、こしょう	各少々
Ⓐタバスコ	少々
温かいごはん	2皿分
ピザチーズ	60g
トルティーヤチップス	6枚

1 材料を切る

レタスはせん切りにする。トマトは種を取りのぞき、1cm幅の輪切りにする。さらにはしから1cmの幅で細く切り、90度向きを変えてサイコロのように1cm幅に切る。

トマトを切るときは、
力まかせに切らないこと。
包丁を押しつけると、
実がくずれちゃうよ。

2

玉ねぎ、にんにくをみじん切りにする。

3 材料をいためる

フライパンにオリーブ油を熱し、2をいためる。

4

3に合びき肉を加えてさらにいためる。

5

4のひき肉がパラパラになったら、Ⓐを加えて味つけする。

6 もりつける

ごはんを皿にもりつけ、5でいためた肉をのせる。

7

6の上にピザチーズ、レタス、トマトをもりつけ、手でくだいたトルティーヤチップスを飾る。

トルティーヤチップスは、とうもろこしの粉でつくった生地をうすくのばして、三角形などにカットして油で揚げたスナック菓子だよ。

料理のキホン

野菜のみじん切りをマスターしよう

手早くきれいにできる野菜のみじん切りを覚えよう！

玉ねぎ

①縦半分に切った玉ねぎを、切り口を下にしてまな板におき、縦にできるだけ細かく切りこみを入れます。

②包丁をまな板と平行にし、横に2、3度切り目を入れます。

③はしから細かく刻んで完成。さらに細かくするなら、包丁の背をおさえて上下に動かすと細かくなるよ。

玉ねぎをみじん切りにする前に、冷蔵庫で冷やしておくと涙が出にくくなりますよ♪

しょうが・にんにく

①皮をむき、うす切りにします。うす切りにした2、3枚を重ねて、はしから細く切ります。

②細く切ったものをまとめて、はしから細かく刻みます。

にんじん

①5cmくらいの長さに切って皮をむき、うす切りにします。うす切りを縦に2、3枚重ねて、はしから細く切ります。

②細く切ったものを横にし、はしから細かく切っていきます。

ラーメンサラダのつくり方

材料（2人分）

- レタス……………3枚
- 卵……………………1個
- 豚ロース（うす切り）……………………4枚
- 塩、こしょう……各少々
- えび…………………4尾
- むらさき玉ねぎ…1/8個
- トマト……………1/4個
- 貝割れ菜…………1/4パック
- Ⓐ玉ねぎしょうゆドレッシング（市販品）……………大さじ1/2
- Ⓐマヨネーズ……大さじ2
- Ⓐレモン汁………小さじ1
- Ⓐ塩、こしょう…各少々
- 生中華めん………2玉
- コーン……………大さじ2
- マヨネーズ………少々

1 レタスをちぎる

レタスは手でちぎり、水をはったボウルに入れる。

ちぎったレタスは、水を入れたボウルにつけておくと、シャキッとしておいしくなるよ。

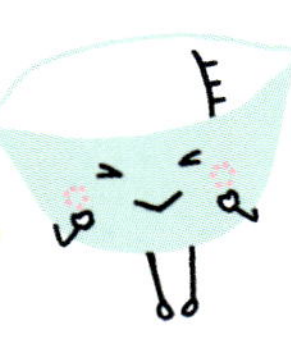

2 ゆで卵をつくる

なべに水と卵を入れて火にかけ、ふっとうしたらそのまま7～8分ゆでる。

3 豚肉をゆでる

うす切りの豚ロースに塩、こしょうをふる。ふっとうした湯に豚肉を入れてゆで、氷水に取り、冷やす。

うすい豚肉は、熱湯に入れるとすぐに色が変わってくるよ。全体が白っぽく色が変わったら、氷水に入れて冷やし、ざるにあげて水気をきっておこう。

4 えびのからをむき、ゆでる

えびは尾を残してからをむき、背ワタを取る。豚肉と同様にゆでて冷やす。

5 野菜、ゆで卵を切る

むらさき玉ねぎはうす切り、トマトは1cm厚さのいちょう切り、貝割れ菜は根をのぞいて半分に切る。

いちょう切りは、縦に十文字に切ってから切り口を下にして、はしから一定の厚さで切る切り方だよ。

6

2のゆで卵はからをむき、縦6等分に切る。

7 たれをつくる

ボウルにAを入れ、ゴムベラなどでまぜ合わせる。

8 めんをゆでる

生中華めんをパッケージに表示された時間の通りにゆでで、冷水に取ってからざるにあげて水気をきる。

9 めんをたれで和える

7のボウルに8のめんを入れ、和える。

10 もりつける

1のレタスの水気をきって皿にもり、上にめんをもりつける。

11

3、4、5、6の具とコーンをいろどりよくもりつけ、マヨネーズをそえる。

カワリダネお寿司

完成まで 70分

レタス巻き

巻き寿司の具がえびとレタス！
サラダ感覚で食べられる
ヘルシーなお寿司だよ。

どんな料理？ レタス巻き

1966年に、宮崎県宮崎市の寿司店が、「おいしく野菜を食べられる寿司」として、つくったのがはじまり。レタスやマヨネーズを寿司に入れるのは当時はとてもめずらしく、評判になりました。今ではいろいろな具にアレンジされ、全国に広まっています。

延岡
えびの
宮崎
日南

レタス巻きのつくり方

材料（中巻き３本分）

米……………1.5合
（ごはん約500ｇ分）
昆布…………10㎝
Ⓐ酢…………大さじ３
みりん……小さじ１
砂糖………大さじ１
塩…………小さじ１

焼きのり（半切り）
……………３枚
レタス………3枚
えび…………９尾
（３本は尾を残し、残りは尾も取る）
マヨネーズ…適量

1 寿司めしをつくる

昆布をのせて少しかために炊いたごはんに、合わせたⒶを加えてまぜて手早く冷ます。

ごはんの粒をつぶさないように、しゃもじで切るように動かして。

2 寿司を巻く

まきすに焼きのりをのせ、のりの上側５㎝をあけて１の1/3量を広げる。ちぎったレタス、ゆでたえび3尾を、尾つきがはしになるように順におき、マヨネーズをしぼり、はしから巻く。同様に２本つくり、切り分ける。

どっちがビックリ!?

完成まで 20分

茨城県笠間市

そばいなり寿司

おいなりさんのごはんを
おそばに変えちゃった!?
意外な組み合わせが
クセになるよ。

さっぱり食べられる！

どんな料理？ そばいなり寿司

茨城県笠間市には、日本三大稲荷のひとつの笠間稲荷神社があり、この地の名物といえば笠間いなり寿司。そばやくるみ、まいたけなどのさまざまな食材を使った、変わりだねお寿司、というところがポイントです。なかでもそばいなり寿司は有名です。

日立
水戸
笠間
つくば

そばいなり寿司のつくり方

材料（6個分）

そば（乾めん）……………150g
Ⓐ酢…………大さじ1
　砂糖………小さじ1
　塩…………小さじ1/3
　めんつゆ（2倍濃縮）…………大さじ2
味つき油揚げ……………6枚
きゅうり（短めのせん切り）……………1/3本
万能ねぎ（小口切り）……………少々
白ごま………大さじ1

1 そばをゆでる

そばはパッケージに表示された時間の通りにゆでで、冷水に取り、ざるにあげて水気をきる。合わせたⒶをそばにかけてまぜ、6等分にする。

6等分するときはバットを使うとやりやすいよ！

2 油揚げに具を詰める

味つき油揚げ4枚に1の2/3量を詰め、それぞれきゅうり、万能ねぎ、白ごまの1/6量をのせて、口を閉じる。残りの油揚げ2枚は、ふちを内側に折り曲げ、具のそばが見えるように詰める。

三角がいい？四角がいい？

愛知県名古屋市

天むす

えびの天ぷらが丸ごと入った
ごちそうおにぎり！
しっぽをちょっと出すのが
かわいいね。

どんな料理？ 天むす

名古屋名物として有名なのが、えびの天ぷらが入ったおにぎり「天むす」です。そのはじまりは、三重県津市の天ぷら店ですが、1980年代にその味を受けついだお店が名古屋に開店し、やがて全国に広まり、名古屋の代表的なご当地ごはんになりました。現地ではひと口サイズのものが、おみやげとしても人気です。

P34へ

ゆかいなおにぎり対決

塩味がきいた
ランチョンミートをのせた
お寿司みたいな形のおにぎり。
ハワイ気分も味わえちゃうよ！

沖縄県全域

ランチョンミートおにぎり

完成まで
15分

こっちはお肉！

どんな料理？ ランチョンミートおにぎり

ランチョンミートはひき肉を生の状態で塩やスパイスなどといっしょに缶づめにして加熱したもので、沖縄では、いためものやみそ汁にも入れる人気の食べもの。ランチョンミートのおにぎりは、ハワイで考えられ沖縄に伝わったといわれます。県内の多くのスーパーやコンビニエンスストアにおかれています。

名護
那覇
糸満

P35へ

天むすのつくり方

材料（2人分）

- えびの天ぷら（小／市販品）……………… 2尾
- めんつゆ（2倍濃縮）………………少々
- 温かいごはん…200 g
- 塩………………少々
- 焼きのり（全型）……………1/2枚

1 えびの天ぷらに味つけする

えびの天ぷらはオーブントースターで温め、スプーンでめんつゆをぬる。

2 えびの天ぷらをごはんで包む

ラップを広げ、ごはんの1/4量（1個の1/2量）を広げ、1の尾を出してのせる。

3

2の上にごはんの1/4量をのせる。

4

ラップで包んで三角形に形を整え、まわりに塩をつける。これを2個つくる。

5 のりを巻く

のりは全型の半分サイズのものをさらに縦半分の帯状に切る。そののりの中央に4をおいて洋服を着せるようにのりを巻く。

これで完成！

えびのしっぽは食べても、取って残してもOKだよ。

ランチョンミートおにぎりのつくり方

材料（2人分）

- 卵……………… 1/2個
- 塩、こしょう… 各少々
- サラダ油……… 適量
- ランチョンミート（8㎜厚さ）… 2切れ
- 温かいごはん… 200ｇ
- 焼きのり……… 適量

1 卵焼きをつくる

ボウルに卵を割り入れ、塩、こしょうをふってまぜる。サラダ油少々を熱した卵焼き器に入れて厚めのうす焼き卵をつくり、ランチョンミートの大きさに合わせて切る。

2 ランチョンミートを焼く

1 の卵焼き器にサラダ油少々を足し、ランチョンミートをならべて両面をさっと焼く。

卵焼き器がないときは、普通のフライパンでもOKだよ。

3 形を整える

ごはんを2等分して、ラップを使ってたわら形にまとめる。手のひらにラップを広げ、2のランチョンミート、1 の卵焼きの順に重ね、ごはんをのせる。

手のひらで包むのがむずかしいときは、まな板にラップを広げて具とごはんを包むと、やりやすいよ。

4 のりを巻く

3 を1㎝幅の帯状に細く切った焼きのりで巻いてとめる。

これで完成！

まだある！おもしろおにぎり集合！

変わった形や、めずらしい材料を使ったご当地おにぎりを紹介するよ。

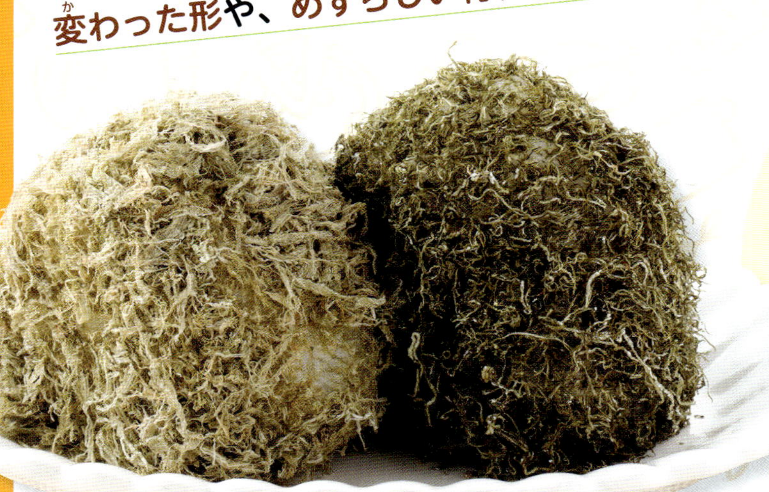

富山県全域

とろろおにぎり

白と黒のとろろでくるみコロンと仕上げたキュートなおにぎり。

どんな料理？

うすくけずったとろろ昆布で、ふわっとごはんを包むとろろおにぎりは、昆布の消費量が日本一多い県、富山県ならではのおにぎりです。コンビニエンスストアなどにもおかれています。

宮崎県宮崎市

肉巻きおにぎり

甘辛く味つけした肉でごはんを巻いた迫力のおにぎり！

どんな料理？

1997年に宮崎市で誕生した新しいおにぎり。甘めのたれにつけた豚肉をおにぎりに巻き、こんがりと焼きます。チーズをのせたり、レタスやサンチュで巻くなどの種類があります。

新潟県魚沼地方

けんさ焼き

焼いたみそがごはんに染みこんで
何個でも食べられちゃうおいしさ！

どんな料理？

砂糖としょうがをまぜたみそをぬって焼く、新潟県魚沼地方の郷土料理。戦国時代の武将上杉謙信が、出兵のさい、兵士の食事におにぎりを剣の先にさして焼いたことが由来ともいわれます。

山梨県中央部

百万遍おにぎり

ほんのり甘い栗と小豆をまぜた
カラフルなおにぎり。

どんな料理？

山梨県中央部に伝わる、ゆで小豆とゆで栗のおにぎりです。健康や安産を願う「百万遍」の行事でつくられました。古くは小石を入れたものをまぜ、妊婦がそれを食べると、男の子が生まれるともいったそうです。

和歌山県・三重県熊野地方

めはり寿司

つけものでごはんを包んだ
大人な味わいのおにぎり。

どんな料理？

和歌山県・三重県熊野地方のめはり寿司は、高菜の浅づけの葉で巻いた大きなおにぎりです。具はきざんだ高菜のくきなどさまざま。もとは、きこりや畑仕事の合間に食べるお弁当でした。

そんなのアリ!?

山形県庄内地方

枝豆のみそ汁

完成まで 10分

枝豆をさやごと煮こんで
まさかのみそ汁に!?
だしがなくても枝豆から
うまみがたっぷり出てくるよ！

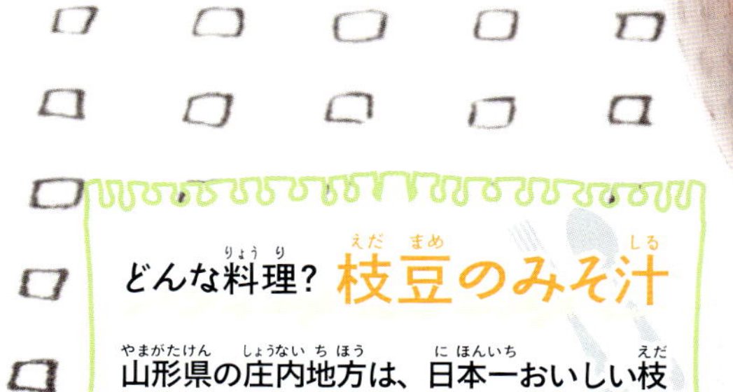

どんな料理？ 枝豆のみそ汁

山形県の庄内地方は、日本一おいしい枝豆といわれる「だだちゃ豆」をはじめ、枝豆の産地として有名です。その枝豆をさやごと入れて、よく煮こんでつくるみそ汁は、地元では定番の味。豆の味が汁に出るので、だしは使いません。

さやごともりつけ！

枝豆のみそ汁のつくり方

材料（2人分）

枝豆（さやつき）	150g
塩	少々
水	2カップ
みそ	大さじ2

1 枝豆の下ごしらえをする

枝豆は塩をふってもみ、水で洗う。

2 枝豆をゆでる

なべに分量の水を入れて火にかけ、ふっとうしたら1を加えてゆでる。

3 みそを加える

枝豆を1個食べてみてやわらかくなったら、みそをとき入れる。

枝豆をさやから押し出すときは、熱くなっているから
じゅうぶんに気をつけて！

シンプルみそ汁対決

山形県鶴岡市

とうもろこしのみそ汁

輪切りのとうもろこしがゴロッと入った
おどろきのビジュアル！
じっくり煮こむと
不思議な味わいに変化するよ！

どんな料理？ とうもろこしのみそ汁

山形県鶴岡市で、枝豆とならんでみそ汁の具になるのが、とうもろこしです。輪切りにしたとうもろこしをゆでて、やわらかくなったら、みそを入れてできあがりです。とうもろこしの風味がだしになるので、だしは使いません。

とうもろこしのみそ汁のつくり方

材料（2人分）

とうもろこし…… 1本
水…………………… 2カップ強
みそ………………大さじ2

とうもろこしを大きめに切るのがポイントだよ。

1 とうもろこしを切る

とうもろこしは4等分に切る。

2 とうもろこしをゆでる

なべに分量の水を入れて火にかけ、ふっとうしたら、1を加え10分ゆでる。

3 みそを加える

やわらかくなったら、みそをとき入れる。

とうもろこしの芯は食べられないから実だけを食べよう。

まだある！

手軽でおいしいみそ汁集合！

地元ならではの食材をぜいたくに使った、ご当地みそ汁を紹介！

島根県全域

しじみ汁

しじみからたっぷりのだしが出て、濃厚な味わいに！

どんな料理？

島根県の宍道湖でとれるつぶの大きな「やまとしじみ」は、「宍道湖七珍」とよばれる名物のひとつです。このしじみのだしをきかせたみそ汁や、おすいものが郷土料理の「しじみ汁」です。

広島県沿岸部

かきのみそ汁

かきのうま味が汁にとけ出し、とってもゴージャスなみそ汁に！

どんな料理？

かきの生産量が日本一の広島県では、みそ汁にもかきを入れます。みそによく合うかきですが、煮すぎると身がちぢんでかたくなってしまうので、煮すぎないことがポイントです。

沖縄県全域

アーサのみそ汁

たっぷりのアーサを入れて。海の香りがただようみそ汁だよ。

どんな料理？

アーサは岩場に生える緑色の海藻で、「あおさ」「あおさのり」ともよばれます。豆腐と合わせてみそ汁にしたり、かつおだしとしょうゆで、おすいものにしたりします。

富山県東部

きゅうりのみそ汁

なんときゅうりもみそ汁に！
シャキシャキとして、意外に合うよ。

どんな料理？

富山県東部の夏のみそ汁です。きゅうりは皮をむいて、みそ汁に入れます。富山県には、太くて短い「どっこきゅうり」という伝統野菜があり、それを使うのが本場の味です。

岩手県西和賀町

納豆汁

ごはんにかける納豆だって、
みそ汁の実になっちゃうよ！

どんな料理？

納豆をすりつぶしてみそ汁の実にする納豆汁は、とろっとして、体がよくあたたまる雪国の伝統料理です。岩手県西和賀町では、さわもだし（ナラタケ）、豆腐、にんじんや油揚げなどを入れ、具だくさんにします。

奈良県全域

そうめんみそ汁

夏におなじみのそうめんがみそ汁に！
温かいから冬でもおいしいよ。

どんな料理？

今から1200年ほど前に、そうめんが誕生した場所といわれるのが奈良県桜井市です。歴史ある名物の三輪そうめんや、そうめんの製造過程で出る「節」をいろいろな具と合わせてみそ汁に入れます。

そうめんの「節」

パン？ごはん？

沖縄県全域

コンビーフハッシュ

コンビーフにじゃがいもをまぜるだけのシンプルおかず。サラダをそえて、朝ごはんプレートの完成！

パンによく合う！

どんな料理？ コンビーフハッシュ

主にアメリカで食べられている、コンビーフとじゃがいもがまざった食材がコンビーフハッシュ。缶づめやレトルトパックでお店にならんでいます。沖縄ではいためものや、オムレツの具にしたりと、いろいろな料理に使います。

名護
那覇
糸満

コンビーフハッシュのつくり方

材料（2人分）

- コンビーフ……………1缶(100ｇ)
- じゃがいも……………2個
- プチトマト……………3個
- レタス…………………4枚
- サラダ油………………小さじ1
- Ⓐレモン汁………………小さじ1
- 塩、こしょう………各少々
- 目玉焼き………………2枚

1 材料の下ごしらえをする

コンビーフはほぐしておく。じゃがいもは皮をむいて1㎝角に切り、ゆでる。プチトマトは半分に切り、レタスは手でちぎる。

2 材料をいためる

フライパンにサラダ油を熱し、1のコンビーフをいためる。

3 味つけする

コンビーフがほぐれたらじゃがいもを加え、Ⓐで味つけする。

4 もりつける

皿に3と、レタス、プチトマト、目玉焼き1枚をもりつける。

パンにのせてもおいしい♪

のせたいおかず対決

山形県全域

だし

野菜たっぷり、栄養満点！
ごはんにささっとかければ、
何杯でも食べられちゃう！

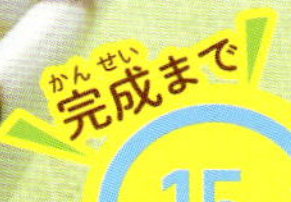

どんな料理？ だし

きゅうりやなす、みょうがなどを刻んでまぜ、しょうゆなどで味つけした山形県の郷土料理。農家では、新鮮な野菜を使って手早くつくります。ごはんや冷やっこなどにのせて、食欲が落ちる夏でも食べやすい料理です。

鶴岡
新庄
山形
米沢

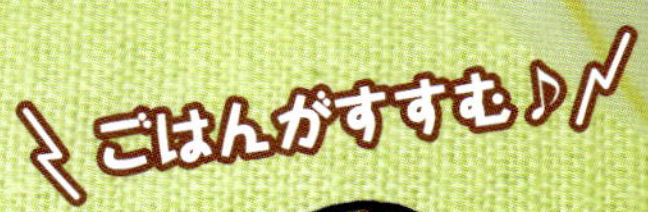

だしのつくり方

材料（2人分）

納豆昆布……20g	青じそ………4枚
きゅうり……1本	しょうが……1/2かけ
なす…………1本	Ⓐしょうゆ…大さじ1
ピーマン……1個	みりん……大さじ1
ゆでオクラ…2本	塩…………小さじ1/3
みょうが……1個	

1 材料の下ごしらえをする

納豆昆布はボウルに入れ、かぶるくらいの水を注いでしばらくひたしてもどしたら、水をきる。きゅうり、なす、ピーマン、ゆでオクラは5㎜角に切る。みょうが、青じそはあらみじん切り、しょうがはみじん切りにする。

2 材料をまぜる

ボウルにⒶを入れてまぜ、1を加えて和える。

これで完成！

どっちを選ぶ？

秋田県北秋田市

バターもち

おもちにバター!?
意外だけどくせになるおいしさ。
もちつきみたいに
こねてつくるのが楽しい！

どんな料理？ バターもち

秋田県北秋田市で、40年以上も前からつくられてきた郷土のお菓子です。もちにバターや砂糖、卵をまぜてつくります。もともとは冬に狩りをするマタギの人たちが、冷えてもかたくなりにくく栄養価も高いので、山に入るときの携行食として持ち歩いたといわれています。今では北秋田の名物のひとつです。

P46へ

ごきげん"お目覚"

もっちり赤飯のなかは、
なんとおまんじゅう！
甘さとしょっぱさが
ちょうどよいバランス。

埼玉県北東部

いがまんじゅう

完成まで 60分

どんな料理？ いがまんじゅう

埼玉県鴻巣市が発祥といわれ、県北東部の農家で特別な日に食べるごちそうです。まわりの赤飯が、栗のいがのようだと、この名前がつきました。もち米が高価だったので、赤飯にまんじゅうを入れて大きく見せたのがはじまりとも、赤飯とまんじゅうをいっしょにつくり、手間をはぶく知恵ともいわれています。

羽生
北東部
鴻巣
川越
さいたま

P47へ

バターもちのつくり方

材料（2皿分）

切りもち… 3個（150g）
砂糖……… 大さじ3
塩………… 少々
卵黄……… 1個分
バター（室温にもどす）
………… 10g
片栗粉…… 適量

1 もちを加熱する

耐熱ボウルに切りもち、水大さじ3（分量外）を入れ、ラップをして電子レンジで2分加熱する。裏返してさらに2分加熱し、じゅうぶんにやわらかくする。

電子レンジからボウルを取り出すときは
熱いので、ミトンをつけよう。

2 もちに砂糖、塩を加えてまぜる

1の水をすて、砂糖、塩を加えてすりこぎでつきまぜる。

もちにすりこぎを押しつけて
砂糖、塩をよくまぜこもう。
ボウルはしっかりと押さえてね。

3

2に卵黄を少しずつ加えてまぜ、なめらかになったら、さらにバターを加えてまぜ、ひとまとまりにする。

4 もちをこねてまとめる

3をビニール袋に入れるかラップで包み、手でよくこねてから、ナマコ形にまとめる。

5 形を整えて切る

まな板などに片栗粉をふり、その上に4を取り出して片栗粉をまぶし、形を整える。そのまま冷まして、2㎝厚さに切り分ける。

これで完成！

時間がたつと
かたくなるので、
つくったら
すぐに食べよう。

いがまんじゅうのつくり方

材料（4個分）

米……………………1/3合
もち米……………2/3合
小豆（またはささげ）…1/8カップ
水……… 1と1/2カップ
塩……… 少々
まんじゅう
……… 4個（1個/50g）

1 赤飯を炊く

米ともち米は合わせて洗い、ざるにあげる。

2

小豆は洗ってなべに入れ、小豆がかくれるくらいの水を注いで火にかけ、ふっとうしたら水をすてる。分量の水を加えて再び火にかけ、ふっとうしたら弱火にし、小豆が指でつぶせるやわらかさになるまで20分ゆでる。小豆とゆで汁を分ける。

赤飯が簡単に炊ける市販の「炊飯器用赤飯セット」もあるよ。

3

炊飯器に1と塩を入れ、2のゆで汁をおこわのめもりまで入れ、2の小豆をちらし、普通モードで炊く。

4 赤飯でまんじゅうをつつむ

3の赤飯を4等分（約70g）にする。また板の上にラップを広げ、直径10cmの円形にのばす。

5

4の上に、まんじゅうの上下をひっくり返してのせる。

6 形を整える

5を両手で包み、軽くにぎって形を整える。

これで完成！

監修者紹介

吉田瑞子（よしだ・みずこ）

料理研究家＆フードコーディネーター。1987年おもちゃメーカーの企画から、料理の世界に転身。「楽しく仕事！」がモットーの事務所「エイプリルフール」主宰。雑誌、広告、TVCF の料理制作、食品メーカーのレシピ開発等を手がける。「誰にでも簡単に作れる家庭料理」をテーマに各方面で活躍中。『冷凍保存の教科書ビギナーズ』『超速ラクらく弁当』（新星出版社）、『かんたん作りおきおかず230』『朝ラクおいしい! おかずの素弁当』（学研プラス）、『朝つめるだけ! ラクうま弁当』（宝島社）ほか著書多数。

NDC 596
監修　吉田瑞子
どっちの料理対決！えらぼう！つくろう！
ニッポンのご当地ごはん
1　朝ごはんとスイーツ
日本図書センター
2017年　48P　26.0cm×21.0cm

＜スタッフ＞

撮影	疋田千里　吉岡真理 横田裕美子（スタジオバンバン）
スタイリング	深川あさり
イラスト	坂木浩子
原稿	吉野清美、酒井かおる
装丁・本文デザイン	株式会社ダイアートプランニング （宇田隼人、天野広和、五十嵐直樹）
校閲	有限会社玄冬書林
編集制作	株式会社童夢
企画担当	日本図書センター／福田恵

＜取材協力＞
喫茶店コンパル（えびフライサンド）
北本トマトカレーの会（北本トマトカレー）
笠間いなり寿司いな吉会（そばいなり寿司）

どっちの料理対決！　えらぼう！　つくろう！

ニッポンのご当地ごはん

1　朝ごはんとスイーツ

2017年１月25日　初版第１刷発行

監修／吉田瑞子
発行者／高野総太
発行所／株式会社 日本図書センター　〒112-0012　東京都文京区大塚3-8-2
電話　営業部03（3947）9387　出版部03（3945）6448
http://www.nihontosho.co.jp
印刷・製本　図書印刷 株式会社

ISBN978-4-284-20396-8（第１巻）

どっちの料理対決！ \えらぼう！/ \つくろう！/ ニッポンのご当地

1 朝ごはんとスイーツ

☆巻頭インタビュー
水卜麻美さん

甘〜い幸せ♥　スイーツ風トースト対決
小倉トースト（愛知県名古屋市）**vsクリームボックス**（福島県郡山市）

王者はどっち!?　シーフードサンド
えびフライサンド（愛知県名古屋市）**vsさばサンド**（福井県小浜市）

さらさら対決！　温・冷 汁かけごはん
鶏飯（鹿児島県奄美群島）**vs冷や汁**（宮崎県全域）

どっちで起きる？　目覚まし朝カレー
スープカレー（北海道札幌市）**vs北本トマトカレー**（埼玉県北本市）

サラダみたい！　ワンプレート対決
タコライス（沖縄県金武町）**vsラーメンサラダ**（北海道札幌市）

カワリダネお寿司　どっちがビックリ!?
レタス巻き（宮崎県宮崎市）**vsそばいなり寿司**（茨城県笠間市）

三角がいい？ 四角がいい？　ゆかいなおにぎり対決
天むす（愛知県名古屋市）**vsランチョンミートおにぎり**（沖縄県全域）

コラム　まだある！ おもしろおにぎり集合！
とろろおにぎり（富山県全域）• **肉巻きおにぎり**（宮崎県宮崎市）•
けんさ焼き（新潟県魚沼地方）• **百万遍おにぎり**（山梨県中央部）•
めはり寿司（和歌山県・三重県熊野地方）

そんなのアリ!?　シンプルみそ汁対決
枝豆のみそ汁（山形県庄内地方）**vsとうもろこしのみそ汁**（山形県鶴岡市）

コラム　まだある！ 手軽でおいしいみそ汁集合！
しじみ汁（島根県全域）• **かきのみそ汁**（広島県沿岸部）•
アーサのみそ汁（沖縄県全域）• **きゅうりのみそ汁**（富山県東部）•
納豆汁（岩手県西和賀町）• **そうめんみそ汁**（奈良県全域）

パン？ ごはん？　のせたいおかず対決
コンビーフハッシュ（沖縄県全域）**vsだし**（山形県全域）

どっちを選ぶ？　ごきげん"お目覚"
バターもち（秋田県北秋田市）**vsいがまんじゅう**（埼玉県北東部）

2 昼ごはんとおやつ

☆巻頭インタビュー
サンドウィッチマン（伊達みきおさん・富澤たけしさん）

どっちがゴージャス？　夢のランチ対決
ハントンライス（石川県金沢市）**vsトルコライス**（長崎県長崎市）

うま〜く化けた！　変わりバーガー対決
おきつねバーガー（愛知県豊川市）**vs松山長なすバーガー**（愛媛県松山市）

ソースに差アリ！　焼きめし対決
そばめし（兵庫県神戸市）**vsえびめし**（岡山県岡山市）

新スタイル焼きそば　だし派？ みそ派？
黒石つゆやきそば（青森県黒石市）**vsたじみそ焼きそば**（岐阜県多治見市）

つるつる？ もちもち？　変わりうどん対決
すったて（埼玉県川島町）**vs耳うどん**（栃木県佐野市）

いためる！ かける！　アレンジそうめん
ソーミンチャンプルー（沖縄県全域）**vsあんかけそうめん**（山形県鶴岡市）

具に注目！　東と西のどんぶり勝負
深川めし（東京都江東区）**vs衣笠丼**（京都府全域）

まんまる対決！　フワフワ卵料理
たまごふわふわ（静岡県袋井市）**vs明石焼**（兵庫県明石市）

ソース？ みそ？　粉ものおやつ対決
いか焼き（大阪府全域）**vsこねつけ**（長野県北信地方）

しっとり！ サクサク！　カンタンおやつパン対決
みそパン（群馬県沼田市）**vsポテチパン**（神奈川県横須賀市）

これってそのまんま!?　オドロキ和菓子くらべ
天ぷらまんじゅう（島根県大田市）**vsまるごとみかん大福**（愛媛県今治市）

ひんやり♪ シャリシャリ♪　涼を楽しむ氷対決
食べるミルクセーキ（長崎県長崎市）**vs沖縄ぜんざい**（沖縄県全域）